そう、私は精神病者

そう、私は精神病者

발　　행 | 2024년 2월 26일
저　　자 | 한상희
펴낸이 | 한건희
펴낸곳 | 주식회사 부크크
출판사등록 | 2014.07.15.(제2014-16호)
주　　소 | 서울특별시 금천구 가산디지털1로 119 SK트윈타워 A동 305호
전　　화 | 1670-8316
이메일 | info@bookk.co.kr

ISBN | 979-11-410-7366-4

そう、私は精神病者

精神病者

ハン・サンヒ著

パニック障害、そして私

パニック障害の始まり

その日の記憶はいまだに鮮明だ。3年前、外部の状況によってひどい圧迫感とストレスが極度にひどくなっていたある日、胸の苦しみと共に顔がカッと熱が上がってTVで芸能人が言っていたあの「パニック障害」が私にもやってきた。顔に熱が酷く上がったあの日、寝ようとベットへ横になると心臓が故障したかのようにひどい動悸と痛みそして呼吸困難で寝ることも出来ず居ても立っても居られなかった。直観的にこれがパニック障害だということを感じた私は夜を明かし、病院が開く時間だけを待って苦しい症状を体中に受けた。全てのパニック障害の人たちが言う「本当に死にそうだ」という気持ちでタクシーに乗って病院へ向かったあの日、そうして私はパニック障害という診断を受けてパニック障害の患者となった。

パニック障害の前兆症状

実はパニック障害になる約1年前から家にいると空気が足りないような苦しさを頻繁に感じた。そんな時は何度も窓の外に顔を出して呼吸を整えなければいけず、それでもコントロールがダメな時は外に出て空気を吸わなければならなかった。また、それでもだめなら当時、コンビニで売っていた「スロー00」という飲料を車の中で3缶を続けて飲んで、窓を開けてずっと呼吸を整えなければいけなかった。

この時までもその危機さえ乗り越えればまた日常生活可能だったため、ストレスのせいだろうと深く考えずに過ごした。薬を処方してもらい、幸い薬のおかげでもう一度日常を取り戻すことが出来た私はどうしてでもこの病を勝って見せようと出来るだけ規則的に日常を暮らしながら努力した。そして周辺ではすでにパニック障害を経験している知人のアドバイスと応援を受けてパニック障害者として人生を生きていくことを始めた。.

自分の足で入った解放精神病院

好転と再発

規則的な生活と薬物治療で好転してきた私は少しずつ薬を減らしながら断薬ということまで期待しながら一日一日を送っていた。だが、人生は思い通りにように動くことなく2021年から個人的な問題と外部でのストレス等で以前までの症状とは比較することもできない激しい症状が現れ始めた。一昨年2020年10月に発病したパニック障害が何か月前からひどくなり、とてもつらい時間を送った。ほぼ毎日便器に向かって吐き気と嘔吐で寝ることもできないほどの息詰まりと各種の症状で体の体力は底をついた。さらに悪いことが続き、良性発作性頭位めまい症、腎盂腎炎、脱水、風邪、腸炎等

あらゆるさまざまな病気が私の体をより疲れさせた。

うつ病の発病

　その間に多くの出来事があり、結局してはいけない選択までしてうつ病まで発病した。それでも乗り越えようとコツコツと頑張ってみたが、薬を飲んでも症状が和らぐことはなかった。一人の力ではだめだと判断し、家族と話し合って自ら精神科解放病棟へ入院することを決めた。

個人的についての話

この本に私の個人的な内容を書かない理由は意図と関係なく誰かを加害者に作り、私を被害者に作りたくないからだ。私がこの本を書く理由はその間私の困難だった出来事を訴えるのではなく世界には様々な人生があり、私が知らない苦しみが数え切れないほど多いため誰かをむやみに判断したり、少なくとも他人の苦しみもまた他の苦しみを重ねないでほしいという気持ちであるためだ。そして深く見ていないだけで誰にでも同じであるが違う、違うが同じ人生の重さが存在するということを言いたかったためである。

開放精神病院に入院

結局私は再度パニック発作を経験し、怖さと無気力感に溺れていた。これ以上一人で乗り越えることはできないと感じた私は、私に合う薬を探すために開放精神病院に入院することに決めた。

もしもパニック障害を直面している人がいれば、先にこの話を必ずしてあげたい。

私の力と意思で乗り越えようと自分勝手に薬を飲まなかったり、やめないこと!

薬に対し多くを恐れないこと!
そして必ず良くなることはあるということ!!

パニック障害自己チェックリスト

次の問いの中で4つ以上に該当するなら、パニック障害を疑うことが出来ます。

1. いきなりはっきりとした理由なしに、酷い恐怖や不安を感じる
2. 胸の動悸、汗、震え、呼吸困難、胸痛、吐き気、めまい、ふらつき、意識の混迷又は死にそうな感じと同じ身体的症状を経験した。
3. パニック発作が10分以内に最高潮へ達し、20分以上持続した。
4. パニック発作がいきなり始まった
5. 特定の状況、場所、人と関連してパニック発作が来る。
6. 発作がまた起きるんじゃないかと怖かったり、パニック発作を避けるために行動を制限する。

*上の内容は参考用であるため、専門家とのカウンセリングを推奨します。

パニック発作を乗り越えるための生活習慣

パニック障害を克服するためには下記と同じ生活習慣を維持することが役立ちます。

1. 規則的な生活を維持し、十分な睡眠をとります。
2. ストレスを管理し、健康な方法でストレスを解消します。
3. 肯定的な思考を持とうと努力します。
4. パニック障害の患者の集まりやオンラインコミュニティに参加し、情報を共有して他の人と交流します。

パニック障害は誰にでも訪れるかもしれない疾患です。治療と努力を通じて必ず症状が良くなることが出来ます。

目次 ： 病院で会った彼らの話

1. 肩に大きな人形を乗せて歩く24歳の医大生
2. 女子中学生を泣かした間欠性爆発性障害の軍人
3. キャハハと踊る女子高校生たち
4. 18歳のイケメン優等生な高校生
5. 軍隊で暴行に遭い、うつ病にかかった軍人
6. ルームメイトの自殺でうつ病にかかる。
7. 間欠性爆発性障害の軍人と静思の時(QT)をすることにした
8. 不安感で眠ることが出来ない軍人の弟
9. 私は私の血が綺麗です、統合失調症の美容師
10. 毎日食べて吐く、いじめの被害者である女子高生
11. 姉の自殺… そして死に対する好奇心
12. 間欠性爆発性障害の軍人との静思の時(QT)がなくなる。
13. 日本語の授業が始まる。
14. あなたたちは本当にすごい、よく耐えたよ!
15. 29禁の発言もためらわない認知症のおばあちゃん
16. 待合室で合唱をする。
17. 愛着人形と少女たち
18. 18歳少女の傷だらけの手と足
19. 私達のお母さん世代のうつと不安
20. 閉鎖病棟を懐かしむ人たち
21. コロナの感染者が出た。
ep. 精神病棟だけで経験できること

私達の話

1. 私の気持ちを誰が知ってくれるだろう
2. 先に手を差し出す勇気
3. 中途半端なアドバイスよりただ聞いてあげること

つらい家族をもった家族の気持ち

1. 見守る家族の苦しみ
2. どうやって助けてあげることができるだろうか?
3. 私の気持ちを世話する方法

そう、私は精神病者

1. 人々の視線
2. 加害者と被害者そのどこか
3. 認識の変化
4. 何のために生きるのか
5. 傷と欠乏の悪循環

私の回復への道のり
私に謝る

精神病院の開放病棟へ入院初日

初日は各種相談と診察で一日がすぐ過ぎて行った。少しの先入観を持って入ったこの場所は思っていたよりも明るく活気に溢れていた。「おっ？今まで行った病院の中で一番エネルギーに溢れてるな?'と考え、意外さと不思議さで一日を送った。そして2日目に起こったある事件で「あっ、ここ精神病棟だった」と気づいた。

1. 肩に大きな人形を乗せて歩く24歳の医大生

私はほぼ一人、病室で時間を過ごしたり簡単な運動を
する時だけ待機室を利用してその待機室では卓球台と
運動用自転車そして談笑を交わしたり絵を描くことが
出来るテーブルが位置していた。
場所がなく2人部屋を使用中だった私の病室と一緒の
人は24歳の医大生で双極性障害とパニック障害で入
院することになったという。とても明るく、可愛いそ
の子は休むことなく勉強だけをして走ってきたが、そ
んな人生を後悔していると頑張って明るく笑っている
ように見せて言った。

「私は一体どうしたんでしょうか…」

肩に可愛い人形を乗せて歩く、明るくて可愛い姿の裏
には自責と深いため息が込められた一言が心にぐるぐ
る回る。

2. 女子中学生を泣かせた間欠性爆発性障害の軍人

この場所は休み時間がほとんどだからか、各自なりの方法で時間を送る。大学生が高校生の数学を教えたり、お互いに卓球も教えあったりもして、まるで以前から知っていた仲のようにグループを作って動くため、病院というより学校のような感じが強かった。昨晩、私が自転車に乗って運動をしている時だった。いつも和気あいあいであるようなこの場所で小さな口喧嘩が起こった。20代の男性1名と女性2名が小さなことで口喧嘩をしていて、私は状況把握した後に彼らを分離させた。

16歳のひどいうつ病患者だった女子高生は男性のストレートで強い口調に傷ついたのかずっと泣いてばかりいた。男性はもう一人の女性と落ち着いて会話をするかと思いきや、多くの人が自分のせいにすると考えたのか瞬間ガラスみたいな物(実際はガラスではなかった。)を力いっぱい床へ投げつけた。力が強かったためかその音にみんながビックリして逃げ、(何の度胸か分からないが私はびくともせず、乗っていた自転車に乗っていた。) 大きく騒ぎとなった。患者たち

は部屋へ帰っていき、私は看護師の方を助けて破片を整理した後、部屋へと戻った。

結局その男性は閉鎖病棟へ移動され、もう一度待機室に平和が訪れたように見えた。そして今日の朝、食事時間に少し閉鎖病棟の人たちと出くわしたが、その時男性が人々へ謝罪をし、昨日のことは忘れてくれ、すまなかったと言った。

「心の片隅が虚しくなった」

何が彼をそんなに怒らせたのだろうか…?

何卒、治療をしっかり受けて良くなるよう願っている。

間欠性爆発性障害の自己診断法

次の項目の中で 5つ以上に該当すると 間欠性爆発性障害を疑うことが出来ます。

1. 些細なことでも怒りやすい。
2. 怒った後は後悔する。
3. 怒りを我慢できず、暴力を使う。
4. 物を壊したり、投げる。
5. 自殺衝動を感じる.
6. 怒ると心臓の拍動が早くなり、息が苦しくなる
7. 怒ると手が震えたり、筋肉が緊張する.
8. 怒ると早口になったり、声が大きくなる。
9. 怒ると周りの人を攻撃したり、非難する言葉を言う。
10. 怒ると逃げたり、一人でいる時間を持つ。

間欠性爆発性障害のセルフチェックは専門家の診断の代わりになることはできないため、 間欠性爆発性障害が疑われるならば精神科の専門医へ治療を受けることが良いです。

間欠性爆発性障害が疑われる場合、次のような行動を避けるのが良いです。

- お酒や薬物の過多摂取
- 喫煙
- カフェイン摂取
- 過食
- 睡眠不足
- ストレス

間欠性爆発性障害は治療が可能な疾患です。治療を通じて怒りをコントロールできる能力を向上させることができ、日常生活で怒りによる問題を減らすことが出来ます。

3. キャハハと踊る女子高生たち

病院での一日は朝5時30分から始まる。朝食が7時30分だからもう少し寝ても良いが、雰囲気は深い眠りにつくのは難しい。普段は夜の9時に睡眠薬と共に薬を服用するため、みんな早く眠りにつく方だが私は薬が合わないのか夜中ずっと寝返りを打っていた。

3日目にはここにいる患者について気になり、こそこそ待合室に出て言葉をかけてみたりお菓子もあげたりそれなりに近づいてみようとしたが、その前にほぼ病室だけに居ていた上に歳の差が少なくないからか簡単に仲良くなるのは難しかった。これは時が過ぎれば自然に解決するだろうと思い、待合室で運動をしていると若い女の子2人がアイドルダンスを踊って キャッキャッと笑っていた。

その姿が可愛くて「あっ、とても可愛い」とそれなりにリアクションをとってみたが子供たちは恥ずかしいからか踊っていたダンスをやめてもじもじと場所を移動した。

運動を終えてちょうど私の同室の人(病室メイト)が

ここをよく知っているから病室であれこれ気になること を聞いてみた。

「今、ここにいる人たちは普通どんな病名で来た の？」
「ふつうは躁うつ病(双極性障害)やいじめの被害者、 軍隊での自殺行為できたうつ病の軍人たち、 間欠性 爆発性障害、妄想性障害、認知症等が多いみたいで す。」

各自の理由で来た患者たちの話が気になった。この場 所にいる間はゆっくり彼らの話を聞いてみたい。待合 室でこの文を書いているが、あちらこちらで聞こえる 少女たちの笑う声に気分が良くなる。

お互いが格別な仲なのか両手を握って、廊下を歩きな がら運動する姿も微笑ましい。お互いを誰よりも理解 するこの子たちは時々また外へ出ることについての怖 さも示すが、この場所だけは穏やかに見えるので良 かった。

4. 18歳イケメン優等生の高校生

ここでは自害や自殺行為の危険があるものは徹底的に持ち入れは禁止されている。当然、充電器も持ち込みがダメで、共用で使用するが座って充電を待っていると60代の女性患者の方と自然に会話をすることになった。

不安障害で病院に入院して明日退院するとその方は自分はとても良くなったと安堵していた。会話が終わる頃私は「あの卓球ちょっと教えてくれませんか？」と聞き、快く卓球を教えてくださった。

私が卓球しているのを初めて見た他の患者たちは全て集中して見始め、病棟で卓球を一番良く打つ18歳の男子学生が教えてあげると個人レッスンをしてくれた。

「私が教えた人の中で一番上手ですね。」と褒め称えてくれる優しい学生の言葉に誇らしく胸張って体中を振りながら一生懸命打った。（誉め言葉の力がこんなにも大きいです。次の日は筋肉痛になりました。）

しばらくしていると体力低下で他の人へ渡して部屋に入り、休んでいると他の部屋の患者さんがタルゴナラ

テをくださり飲んで少し眠りについた。しばらくした後、目が覚めて起きるとベットに綺麗なリンゴが一つ置かれていたが誰が置いていったのかわからない(ありがとうございます。)

夕方にはイケメンの主治医先生と面談があったが、とても細かく必要な言葉を多く聞いて、応援してもらい病院生活の一筋の光のような存在になってくれるみたいだった。

5. 軍隊で暴行を受けてうつ病にかかった軍人

今日もやはり寝そびれて寝ぼけた状態でこのままでは
だめだと思い、シャワーをして軽くストレッチ後に本
を開いた。50年前に書かれたカトリック教理本だっ
たが、意外にすらすら共感しながら読んだ。とりあえ
ず本を読んでいるといきなり眠たくなり、少しウトウ
トして待合室を出た。待合室に誰もいなかったため、
絵でも描こうかとテーブルに座って描いていると年下
の軍人3名が囲んで座った。(以前、閉鎖病棟へ行った
あの人もまた開放へ来たのか一緒に座った)

「わ〜絵を描くの上手ですね。」と先に話しかけてく
れたのがありがたく、そうして一緒に座り本格的にお
しゃべりタイムが始まった。各自、自然にこの場所へ
来ることになった話を交わし、お互いにすごい共感と
共に会話を続けていたが私の人生ストーリーを聞いた
みんなはビックリし「本に出る話しみたいですね」と
ビックリしていた。

私が彼らよりもつらかったのだろうか? 私は絶対に違
うと思った。この世には数多くの苦しみが存在し、各
自違う性向の人たちが存在する。だからどうか私が一

番しんどいと他の人の苦しみをバカにしないようにしよう。

軍人の人たちの話を聞きながら口では何回も悪口が出ようとしたか分からない。
髪を掴んで山に連れて行かれて団体でリンチされた話、グループラインで人身攻撃を受けた話、死のうとベランダの前に立って両親を思い心を入れた話⋯⋯。
怒ると相手が私事を嫌いになるかと思い怒る事も出来ずただ、笑って流した。おかしい人みたいになってしまった話、寂しくてただ心を交わす友達が必要だったが人を信じられなくなった話、そうして対人忌避症になって人が多い場所に一人で行くと冷汗が出てつらいという話。

年下の子たちの話を聞いているとこの言葉だけしか思い浮かばなかった。

「あんなたち本当に強いんだね、すごいな。」

そしてしばらく会話を交わしていると昼食の時間になり、各自部屋に入った。たぶんしばらくすると2弾が始まりそうだ。

6. ルームメイトの自殺でうつ病にかかった。

病院生活にある程度慣れて、病室内での生活が楽では
あったがわざと待合室に出る時間を増やしていた。明
るく幼い少女たちは退院をし、少しの静かさが流れる
病棟で私はなぜか出しゃばってそんなにテンションが
高くない正確なのにわざと人へもっと話しかけて雰囲
気を少し変えてみようとそれなりにアクションを行っ
てみた。

テーブルに座っていると年下の軍人たちがわあっと集
まった。そしていきなり私の歳を公開して、皆がすご
いリアクションで誉め言葉を受けた。ここからは私の
自慢であるため、見ない人は飛ばしても頂いても良
い。

「わっ、20代中盤から後半だと思ってました。」
「すっぴんなのに綺麗ですね。目が綺麗です。」
「息子さんも可愛いでしょうね。」
生意気なのは知ってるが、自慢したかった。
(軍人だから誉めてくれるのは私も知っている。)

甥っ子程度の歳になる年下の軍人と休みながらたわい
のない話や卓球の試合をして40代の明るい女性患者
の方もあれこれ会話を交わしてみんな「私がここに来
るとは思わなかった」と言い共感を交わした。この方
は一緒に住んでいた一番仲の良いルームメイトが突然
の自殺といくつかの事情でうつ病が酷くなってくるこ
とになったと言った。外では本当に明るく見えるがど
こか心配事でいっぱいな姿を現した。

仲が良かった人の自殺を経験し、深い喪失感と憂鬱感
は結局、心の病を患うことになったこの人がどうか哀
悼の時間を乗り越えて回復すると良いと思う。

7. 間欠性爆発性障害軍人と静思の時(QT)をすることになった。

この人のことを言うと… 病院に来た初日に幼い女学生「私はクリスチャンだけど聖書は何回読んだの?それも読んでないのにどうやって神様を信じるって言えるの」 等の発言をし、女子学生をビビらせて待合室で君臨した。実は病室で声だけを聴いてイライラしたのでちょっと出て「兄弟（クリスチャン同士の人を呼び合う時に使う言葉）さん、ちょっと私と話しましょう」と言いたかったが初日だから言葉を飲み込んで過ぎていった。

この人は二日目の日、物を投げて怒りを表出したあの軍人だが普段は口調も落ち着いていて異性的であるかのように行動するが「自分が合っている」がかなり強く見えてそれを受け入れられない時に怒りを我慢できないようだった。

少し前に待合室で聖書を見ているとその年下の軍人は横で自転車に乗っていた。会話を交わしたくて肩を少

し叩いて呼んでみるとビックリしたかのように見つめた。前の事件を思い出して、慎重に信仰生活について聞いてみた。

「軍生活をする場所に教会がなく、礼拝をしなくなって、結構経ちました。霊的に低迷して煙草もより吸うようになり何度も気持ちが揺れます」

「もし、よろしければ私と20~30分一緒に会話して静思の時(QT)もし、祈祷したりしませんか?強要するのではなくて気が向いたらどうですか。」

「私はいいですよ。ここに聖書本も持ってきました。以前、静思の時(QT)をしたことがあり負担に思ったりはしませんよ」

肯定的な答えに何故か心が弾んだ。まず、私にも必要な時間であり、相手にも確かに必要だという気持ちと思ったからみたいだ。

8. 不安感で眠れない年下の軍人

短い会話を終えて、聖書を読んでいたら後ろから誰か
がトントンと肩を叩いた。他の年下の軍人だ。

「何を見てるんですか?」
「聖書。協会行ったことある?」
「はい、中学生の時に」
そして非常に深いため息を深くついた。
「なに、何かあったの?」
「寝ていると何度も目が覚めます。今日も夜中の4時
に起きましたよ。
何度も何か心配で不安です。」

自分も自分のことでいっぱいだが、少しずつ良くなっ
てきているからいくつか情報を交わした。

「私たちが心配していることの中で実際に起こること
は1%程度で小さいことは起こるかもしれないけど、
それは私たちが成し遂げることが可能な水準だって。
そして寝室では出来るだけ睡眠だけをとって、携帯や

本を見ると睡眠の助けにはならないんだって。寝る前には出来るだけ運動もしないで(主治医の言葉をそのまま言う)これは睡眠に対することの不安、苦しみについて整理したことなんだけど行って読んでみて。」普通はこれから一日が始まる時間だけど、病棟の一日は朝方だからか遅く感じた。今日一日もよく過ごしてみよう。

「私はこの場所が気に入った。」

睡眠障害に役立つ方法

1. 規則的な睡眠習慣を維持しましょう。
2. 同じ時間に眠りにつき、同じ時間に起きましょう。
3. 眠りにつく前にはカフェイン、アルコール、煙草を避けましょう。
4. 眠りにつく前に過食や暴食はしないでください。
5. 眠りにつく前に激しい運動は避けてください。
6. 眠りにつく前は穏やかな環境を作りましょう。
7. 寝室は暗く、静かで涼しくなければいけません。
8. 眠りにつけない時はベットから起きて静かに活動してからまた眠りにつきましょう。
9. 睡眠剤の助けを借りるのも考慮しましょう。睡眠障害が酷い場合は睡眠薬を服用することも役立ちます。

いくつか努力しても睡眠障害が3週以上持続する場合病院へ行き、診察を受けることが良いです。

睡眠障害を予防するための生活習慣

1. 規則的な運動をしましょう。一日に30分以上中間強度の有酸素運動をしましょう。
2. 健康な食事メニューを摂取しましょう。炭水化物、タンパク質、脂肪をまんべんなく摂取しましょう。.
3. 十分な水分を摂取しましょう。一日に8杯以上の水を飲みましょう
4. ストレスをケアしましょう。ヨガ、運動等の方法でストレスをケアしましょう。
5. 十分な休息をとりましょう。一日に7～8時間の睡眠をとりましょう。

睡眠障害は日常生活へ多くの不便をもたらすことがあります。規則的な睡眠習慣と健康な生活習慣を通じて睡眠障害を予防し、睡眠の質を高めるために努力しましょう。

9. 私は私の血が綺麗です。統合失調症の美容師

初めて見た少女が閉鎖病棟から開放病棟へ移された。とても細い体で力が少しないように見えたが、明るい顔で他の患者と五目並べする姿を見て「以前よりも良くなったから来たんだ」と通り過ぎたが少し過ぎて病棟がざわついた。何事かと思って聞いたらその少女がマスクの鼻の部分にある鉄を抜いて手首を自傷したということだった。

ちょうど少女は私の前を過ぎていて私も知らないうちに捕まえて「傷ちょっと見てください」と言葉をかけた。すごく裂けて血出ている手首を見て少女は明るく笑った。

「何で自傷したのですか?」と聞くと
「寂しくて……」と答えた。

瞬間、他の言葉が思い浮かばなくて両手を広げると来てギュッと抱かれていた。

まだ若くて可愛らしい年なのに……

「早く行って処置から受けてきてください。」

そうやって少女を送り、心の片隅が重くなった。私も
パニック発作で呼吸が出来ずに自傷をしたことがある
からか少しはその気持ちを理解することが出来た。

10. 毎日食べて吐くいじめの被害者の女子高生

夕食後、トイレで歯磨きをしていると片側でとても酷い嘔吐の音が聞こえる。とても酷いので窓を叩いて「大丈夫ですか…? 背中をちょっと叩いてあげましょうか」と聞くと「いいえ。大丈夫です」と言い、長い時間の間嘔吐を繰り返して出てきた。

誰かと思うと16歳のいじめの被害者である女子学生だった。
「ちょっと大丈夫ですか?水を少しあげましょうか…?"と背中をさすると何度も大丈夫ばかり言う。

瞬間、自分の姿と重ねて学生へ言った。

"大丈夫じゃないのに大丈夫だと言わなくてもいいですよ"

私が私自身に聞かせたあげたかった言葉でもあったが、こうやって誰かへ言うなんて気持ちが少し変だった。そうやって一日が終わり、6人部屋の病室に移った初日だからか途中で起きて睡眠薬を追加で飲んでようやく眠りにつくことが出来た。

11. 姉の自殺… そして死に対する好奇心

今日は何度も気になって、昨日手首に自傷した少女へ言葉をかけた。そしてあれこれ会話をして病気になったきっかけについて聞くことになった。

「私の姉が私の歳が離れてていつからか自傷行為をしてうつになり、私が中学生の時に自殺しました。その時から助けてあげれなかったという罪悪感と死について好奇心ができました。だから気になったんです。
どんな感じなのか…

自傷行為を始めて繰り返していくとより刺激的な方法を探すことになって。血を見ると気分が良くなります。他の人の血は怖いのに 私の血は綺麗に見えます。」

「そうなんだ。私もこの前まで息が出来なくて初めて自傷行為をしたけど、あなたも知っているだろうけど瞬間が解消できるように見えるけど違ったんだ。私達お医者さんが教えてくれるようにそんな気持ちが込みあがる時はただ、冷たい水に顔を付けよう。」

そして今日に限ってひと際ふらふら元気がないように
見えて「私と卓球一回しよう」というと快く答えた。
二人でキャハハと笑いながら卓球を売っていると少し
は活気がついたようと思った。美容師の仕事をしてい
たというこの少女は双極性障害と統合失調症等を患っ
ていたがどうかトラウマと罪悪感から抜け出して健康
な日常を取り戻してほしい。

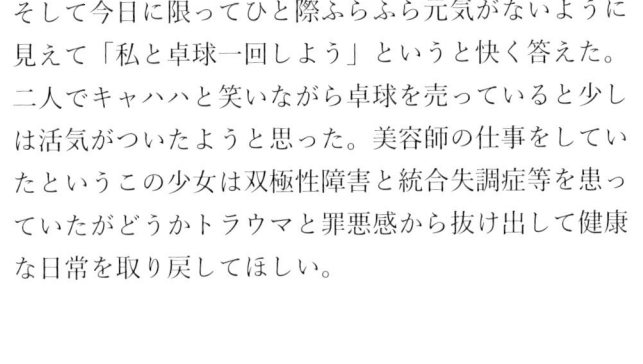

12.　間欠性爆発性障害軍人と静思の時(QT)がなくなった

昨日、一緒に聖書を読み交わすことにした年下の軍人が急に他の病院へ移ることになり、すぐに今日チョンジュへ移動することになった。言葉に性急であった彼だったから名残惜しさも大きく、どうしようかと悩んでノートに祈祷文とお言葉を書いて伝えた。

"ありがとうございます。　行ってからも必ず付けておきます。」

カッコいい海兵隊の軍服を着ている姿はとてもしっかりとして頼もしかった。少し残念だったが、今よりも良い環境へいくから良かった。

13. 日本語の授業を始める

病院ではすることがほぼないため、皆が暇している雰囲気だ。昼食後に年下の軍人一名が日本語を学んでみたいと言った。

「私が教えてあげるよ!!!」

事ごとに自信がないと言い、何かを成し遂げたことがないと言っていたのに思っていた以上に授業に良くついてきてくれて楽しみを感じたように見えた。私も説教臭い年になったのか年下の軍人へアドバイスじゃないアドバイスをした。

「大げさなことじゃなくてもあなたがしたいことを書いた後、そこから一番簡単なことを達成してみたら。それが何であっても。」

今日の夕方にはまたどんなことがあるだろうか？

少しの期待と共に今はベットと一体になって休むことで終わり。

14. あなた達本当にすごいよ。よく耐えたよ!

私がいる病棟には10～20代初、中盤と若い子が多い。もちろん年を取った人も少なからずいらっしゃるが、ほとんどは病室に居たり、TVを視聴している。 ここには気さくな子たちが多くて、年上の大人へ先に食べ物をおすそ分けしたり、助けてあげる姿をあちこちで見ることができる。だが、明るい姿の後ろに極度の不安と憂鬱感の中で行ったり来たりする青年たちは一度落ち込み始めると表情から顔まで消えていくかのように一瞬で憂鬱の沼に入っていく。全ての大人がそうではないが、そんな子たちを見て必ず一言多い言葉を言う。

「私の時は遊びまわってたよ、そんなの全部なんてことない。」
「ご飯をちょっともっと食べて動きな。ちょっとぐったりしてないで。」

もちろん心配と慰めの言葉だって言うことをこともを育てる立場の私は知ってるが、子供たちはただ「聞きたくない小言」として受け取る言葉たちだ。

私の20代前半を振り返ってみるとひどく影のある憂鬱の沼でもがいていた記憶がある。「どうせ私の気持ちは誰も知らない。」と考えて壁を叩いてコントロールできない気持ちを抱いて本当に痛くてつらくかった。

そして子供たちへ言ってあげることが出来る。

「ほんとうにつらかったね。十分にそうだと思うよ。あなたは本当によく耐えたね」

33

15. 29禁発言もためらわない認知症のおばあちゃん

私の隣には認知症で入って来たお年寄りのおばあちゃんがいらっしゃった。人はおばあちゃんが繰り返し言う言葉と行動がめんどくさいかのように適度に無視して流した。もちろん私も全部聞いてあげるには私のエネルギーが無くなるみたいで適度に相槌を打って質問もしたりしていたがある日29禁のエロい発言を愉快に言ってアハハッと笑っていた。

ここには書けないが、私も笑けて久しぶりにキャハハと笑った。何日か前におじいさんが腰を怪我したととても心配していたおばあさんは本人も体が不自由であるのにもかかわらずおじいさんをお世話しないという気持ちが前に出て早い退院を求めていた。多少口調はきついが、ロマンチストで可愛いおばあさん、明日退院だから少し残念でもあった。

「どうか二人ともお元気で!」

16 .待機室で合唱をする。

休み時間に少しコンピューターをするが、仲の良い年下の軍人が横に座った。

「何しているんですか?」
「少しすることがあったんだけど集中が全然できないわ。やめよう。」

そうして座ってひそひそとしゃべっていた。
「はぁ、何度も憂鬱で不安です。」

そしてまた違う子がその子の横に座った。
「私はダイエットに対して強迫感があって私が満足できないと他の人が何と言おうと抜け出せれません。」

自分でブサイクと考えるこの子は軍隊に行った後、彼女が何人かと浮気したという事実を知ってからうつ病になり人を信じられなくなったという。(歳がある程度いった人はなんてことない事だと考えるかもしれないが、その状況に置かれた青年にとっては本当につらい時間であるだろう。)

そうして３人であれこれ会話をしていると自信に対する「自責」に対するテーマで会話が流れはじめ、少し神学者モードがonした。

「私も時には自分を何度も責めて自分のせいにする時があるけど、聖書ではこういうの。私達を作ってくださった神様も私達を定罪しないと、自分も定罪しないでと。」

その時、統合失調症とうつ病を患っている少女が大きな人形を抱いて過ぎていくので手を振って横に座らせた。昨夜、自傷した場所がボールペンでやたらに何度も引いて傷がもっと深くなった。毎日ご飯も食べず、がりがりに痩せた姿に何か食べさせたいという気持ちで五穀クッキーを出すと幸い美味しいとよく食べた。

私を含めて4人が囲んで座って会話していると、私を除いたみんなの声がか細い声みたいだ。だめだと思い、突然だったが歌を歌おうと提案した。

「あんたたち最近どんな歌を聞くの?」
題名はもう忘れたが、聞きたいという歌を流してあげてみんなで一緒にぶつぶつと歌を歌った。

「ヤダのすでに悲しい愛をリクエストしてビックリ！
この歌を知っているの?」

40代の女性も合流して一瞬にして待合室はカラオケ
となり雰囲気も一段と良くなった。
こんなのが音楽の力なのか…?

明日は何人か退院し、閉鎖病棟から新しい人が来るか
と思う。

"どんな苦しみを背負って来るだろうか…?"

強迫症チェックリスト

次のような強迫思考や強迫行動が1週間に1回以上発生し、日常生活に支障をきたすならば強迫症を疑うことが出来ます。

下記のような強迫症状が6か月以上持続すると専門医の診療を受けることが良いです。

強迫症の種類

洗浄強迫: 手を洗ったり、物を整理するなどの行動を繰り返し行う。

順序に対する強迫: 全てのことを特定の順序でしなければならない。

事故強迫: 悪いことは起こりそうな考えが繰り返して浮かび上がる。

執着強迫: 特定の物事に完璧ではない考えをすると繰り返し確認する。

保存強迫: 不必要なものを捨てることが出来ない。

強迫症も治療が可能な疾患です。薬物治療、認知行動治療等と様々な治療方法があります。

統合失調症とは?

統合失調症は妄想、幻覚、破壊的な思考と言語、奇妙で不適切な行動のような精神病症状が現れる精神疾患です。統合失調症の100名中1名が発生する珍しくない疾患であり、全世界的に約2,400万名が統合失調症で苦しんでいます。統合失調症の原因は明確に明らかにされていませんが遺伝的な要因、環境的な要因、脳の神経伝達物質の異常等、複合的に作用するものと知られています。

統合失調症の症状

妄想: 実際に存在しないことを信じること。例を挙げると自信が監視されていると信じたり、自身を特別な存在だと信じる等があります。

幻覚: 実際に存在していないものが見えること、聞くこと、感じること。例を挙げると声を聞いたり、幻覚を見ること等があります。

破壊的な事項と言語: 考えと言語が論理的ではなく、理解が難しくなること。言葉を途中で途切れたり、意味のない言葉を言う等があります。

奇妙で不適切な行動と感情表現: 社会的に適切ではない行動をしたり、感情を表現すること。例えば、笑ったり、泣いたり、怒ったり等の行動を何の理由もなしにすることなどがあります。

統合失調症も治療が可能な疾患です。薬物治療、精神治療、社会療法等の様々な治療方法があります。

17. 愛着人形と少女たち

病院に来た初日、病室に入る前に病室の姿がちらっと見え、大きな青年が大きな人形を肩に背負って楽しく走り回る姿が見えた。

テレビで見た精神病者の姿そのまま描かれて不思議さと疑問を抱いて入ったが、私と同じ部屋を使う24歳の医大生だった。

実は愛着人形だと言い、いつも持ち歩くと言った。この子だけではなく他の24歳の美容師も今日私の隣に病室を移した18歳でインターナショナルスクールに通う少女も皆大きな愛着人形を持ち歩いていた。

始めは頭に花をつけてルンルンしている子たちなのかと思ったが、皆賢くて才能の多い子たちだった。

だが、いつも不安と憂鬱感で自身をコントロールできず、苦しそうに見えた。

18. 18歳少女の傷だらけになった手と足

今日、閉鎖病棟かた開放病棟へ来た18歳の少女は一番初めに携帯をまた使えることになったことに本当に喜び、携帯を見ていた。

そうして一緒に廊下を歩いて運動することになったが、手首に自傷行為の跡でめちゃくちゃになっていた。また、足にも自傷行為の跡でいっぱいだった。

「初めて自傷行為をしたきっかけが何だったの?」

「お母さんと喧嘩してです。とても腹が立ったのにお母さんを怪我させることはが出来ないから自傷行為をしました。」

インターナショナルスクールに通い、勉強ばかりして腰も悪くなり、いろいろなストレスでうつ病が来たという。まだもっと深い会話は交わせなかったが、ただ話を聞きながら共感して言った。

「わたしもそうだった。確かに怒ってたのにいざ相手には怒る事が出来ず、自分自身を傷つけることになってた。」

これから私もそうでないように誓うことに念には念を入れている。

今まで私は私の感情を大切に扱うことができなかった。

嬉しさも悲しみも怖さも怒りも私にこぼさず、健康に
吐き出す訓練をしなければいけない。

「私達一緒にそうしよう、皆で。」

19. 私達のお母さん世代のうつ病と不安

退院する人が増えて、新しく閉鎖病棟から開放病棟へ
来たおばさんたちがいる。

皆さん、暇があって薬の名前も成分効果まで見抜いて
いらっしゃった。10年以上薬を服用してきた達人た
ちだ。意図もなく同じ病室だから通話している声を聞
くことになったが、知人へ正直に言わない。

「ただちょっと体が良くなくて病院にいるんだ。」

「精神病院」とう言葉がもしかしたら私たちの世代よ
りももっと良くない視線を感じることもあるためそm
のように言っているみたいだ。
普段、会話している時は皆明るくて楽しく会話をして
いるように見えるが、よく見てみると二人とも手の指
を摘まんだり、両手をゴソゴソしながら無意識的に不
安感を現していた。

私もパニック障害後、無意識に手を噛んで歯の跡で
いっぱいだったためそれが少しの間でも不安を鎮める
行為だということは知っていた。幸い私の場合は病院

に来た後からその行動は消えた。(お医者様の言葉では幼い子供たちが不安な時、手を舐めて安定感を感じることと似た行動だとおっしゃった。)

20. 閉鎖病棟を恋しむ人たち

閉鎖病棟で生活し、状態が良くなり開放へ来た人たちのうちで少ない数の人たちがまた閉鎖病棟へ行きたがった。特に若い子もそうだったために理由を聞いてみると

「あそこでは携帯の使用がだめで、一緒におしゃべりして絵もかいて、ピアノも弾いて、卓球も打ちながら時間を送っていたためかもっと固い絆ができてあの場所がもっと楽しいです」と言った。

少し携帯がなかった幼い時期を思い出した。

"あ、そうだった。あの時はそうだった…」

21. コロナ感染者が出た。

昨日の午後から病室の雰囲気が尋常ではない。先生たちは皆、完全に防護服状態で患者へ出ずに病室の中だけで居てほしいとマスク使用をより厳しく注意させた。入院前は当然コロナの検査をしたが、たまに他の検査のために外部の人たちとの接触を完璧に避けることはできないため、感染が不可能な状況ではなかった。 順番にコロナ検査を行い、幸い皆は陰性が出たが、潜伏期がある場合があり、今もなお自由にできない病室生活を行っていた。

寂寞と静かな雰囲気の中でもどかしさに耐えることが出来ず、安定剤を飲む子もいてお年寄りの方もずっと不満を言ってマスク着用をしっかりと行わず注意をされていた。 外がとても気になって出たい幼い子たちはドアの前でちょくちょくのぞき込んでこっそりと外を見るがその後姿がとても可愛い。前に合間合間にコロナ検査を受けろと鼻の穴に何回か挿すことになった。外に出てコンピューターもして、運動をしたいのにすることがないからか皆は食事後に就寝中だ。早くもう一度自由が訪れますように…

ep. 精神病棟だけで経験できること

1. 食後、薬をくれるが飲んであ〜と口を開けて飲んだか口の中を確認する。
2. 夜9時になると最後の薬をくれるが、その薬で全てを寝かしてしまう。
3. 患者が逃げることがあるため、他の検査をするために移動する際は誰かと必ず一緒に行く。
4. 自傷行為、自殺等の会話がなんてことないかのようにやり取りし、お互いに方法を共有したりする。
5. 薬のせいで言葉が下手になったり、ぐったりとする人が多い。
6. ご飯はどれだけ食べたか、便を排出したか、体重変化はないのかをいつもチェックする。
7. 開放病棟で事故を起こすと、閉鎖病棟へと移動する。（扉一つの違い）
8. 基本的に先生は皆さん親切だ。敏感な患者たちが多く、少し間違えると泣いたり事故を起こしたり怒ることがある。
9. 患者のうち多くの人が私みたいに合う薬を探しに来る。
10. 思っていたよりも雰囲気が良い。今まで入院してきた病院の中で一番気に入った。

* 上記の内容は病院ごとに異なる場合がある。

私達の絆

すべて重荷を負おうと苦労している者ものは、
わたしのもとにきなさい。
あなたがたを休やすませてあげよましょう
私は気持ちが温柔で謙遜であるため
私の背負いを背よって私に学べ
そうすればあなたたちの気持ちに休をえられるだろう
これは私のあざで簡単で私の荷物も軽さだと言ってい
る
(マタイによる福音書 11:28-30)

1. 誰が私の気持ちを分かってくれるだろうか

誰が私の気持ちを分かってくれるだろうかという気持ちを心に抱いて自分で壁を作ったりもした。 私の心の奥深い場所で隠れている傷と怖さを他の人が理解してくれるという期待は最初からしていなかったと言えばいいかな？

だが、毎日毎日習慣のように精神病棟の廊下を歩く度に各自、ストーリーを持った人たちと向き合いながらその壁が少しずつ崩れてきているのを感じた。
そして誰かが私の気持ちを知ってほしいと望むのではなく私自身が私の気持ちを一番に知らなければいけないということを少しは学んだみたいだ。

パニック障害はもう私の人生の一部分となった。否定するよりはただ受け入れて、どうやってこの病気と一緒に良い方向で暮らしていけるか悩んでいる。そして「治る」に集中するより「それにもかかわらず一日をどうやってちゃんと生きるか」が私は持たなければいけない気持ちだということを受け入れると一段と気持ちが楽になった。

「もう知ってくれなくても大丈夫」と私が私をよく慰
める練習をする。
また、似た苦しみを持った人たちとその気持ちを分け
て治癒を経験したりもし、時には私の苦しみが誰かに
勇気となる経験をし、私の病に埋もれないと決心し
た。私達一緒にそうやって生きていってほしい。

「知ってくれなくても大丈夫。」

2. 先に手を差し出す勇気

私達は時々自身を孤立した島だと錯覚したりする。まるで無人島に一人残されたように周りからの救いの手が差し伸べられないような感じにとらわれたりもする。だが、実はそうでない時がはるかに多い。じっと見回すと私たちの周辺には数多くの船があって快く救いの手を差し伸べて私たちが手を差し伸べるのを待っている人たちがいる。

ただし、方法が分からず慎重で気軽に近づくことが出来ないだけで助けを求めることは弱い姿や恥ずかしい姿ではなく、反対に勇気のある姿だということを覚えておこう。

一人で抱えるには人生は重く、すぐにでも私を離してしまいたい瞬間が来るならただ一言を口で発してみよう。
「助けてください。一人では到底できません。」
この言葉は実際に私が姉に言った言葉でもある。

「お姉ちゃん、私良くなりたい。でも一人では到底できないから私をちょっと助けて。」

その時、姉は泣きながら言った言葉が私を助けたと
言っても過言ではない。

「あんたが他の運はなくても、家族運はあるようにし
てあげるわ。」

家族でなくても、仲のいい知人でなくても誰でも大丈
夫だ。手を差し出してみよう。そしていつかあなたへ
誰かが手を差し伸べると快くその手を握ってあげよ
う。それでいいのだ。

3. 中途半端なアドバイスよりただ聞いてあげること

私は「慰め」という名目の元で中途半端なアドバイスを言ったりもする。特に「私も経験したことあるし分かる。私はもっと酷かったよ」と言って自分の経験が全てであるように話をする。「私がもっとつらかった。」という気持ちは残酷な慰めへ変身させる。

もちろん、良い意図で話す場合もあるが、時にはそんな言葉が逆に傷つけることがある。つらい彼らが本当に望むのはただじっと自身の話を聞いて、一緒に共感し、泣いてあげることかもしれない。

「本心がこもった「傾聴」の力はどんな言葉よりも強い。」

他の人の苦しみを理解することはまるで同じ星を見ながらそれぞれ違う宇宙を見ているのと同じだ。どんな言葉を掛ければいいか分からないならば、じっと気持ちを込めて話を聞いてみよう。

それだけでも十分に大きな力になることができる。言

う人も実は知っている。

他の人が答えを出すことはできないことを。

酒屋の客席から入る客席の気持ち

"To us, family means putting your arms around
each other and being there."
私達へ家族とは互いを抱き寄せて
その場所に一緒にいることを意味する。
(Barbara Bush)

1. 見守る家族の辛さ

ある日私は仲のいい年下の友達から電話があった。その子の声は重くて、悩みを多く抱えているような感じだった。その子の父がうつ病で苦しんでいたため、話を聞きながら患者のそばを見守る家族の存在の深さと彼らが経験する隠された苦しみについてもう一度考えてみた。

患者の苦しみは明確で目に見えるが、横にいる家族の苦しみは時々埋もれてしまう。 患者になると自信の苦しみに襲われて家族の犠牲やつらい気持ちを汲み取ることは簡単ではない。

患者の道程は一人だけのものではない。その苦しみは家族にも大きく影響を与えて、時には家族にとって負担を負うこともある。

私の苦しみに埋もれている間、家族たちはどんな気持ちで生きているのか今すぐには目に見えないが、この気持ちは忘れないでほしい。

「私をどれだけ愛していて、守ってあげたいか。」

私のせいで愛する人まで一緒に苦しんでいるという考えに「自責」をしろということではなく、私がどれだけあいされているかについて「感謝の気持ち」を必ず逃してはだめだということを必ず言ってあげたい。

感謝の気持ちがお互いを支えるものすごい力を持っているということを信じて疑わないでおこう。

2. どうやって助けてあげることができるだろうか?

「どうやって助けてあげることができるだろうか?」という質問は精神疾患を患っている患者の多くの家族たちが持っている共通の悩みだ。この質問に答えるためには先に患者の感情を理解しようという努力が必要です。

精神疾患を持った患者さんたちは時々自分が理解できず孤立していると感じるが、だからより彼らに必要な無条件的な愛と支持だ。まず、患者の感情を認めて症状を理解することが重要だ。

疾患によってどんな衝動的な行動をするか分からないため、病についての理解度が高いほど万が一の事態に備えることが出来る。

また、治療へ積極的に参加するほど励まして信じてあげることが必要だ。自身をコントロールする力を無くす場合が多いため、必ず家族や周りの助けが切実だ。

患者だけではなく、家族もまた自分の感情とストレス

をちゃんと管理しなければいけないが否定的なことは
もっと早く流れていくためだ。疲れてつらくなること
もある自分の気持ちも良く見て慰めてあげよう。

今はこの暗い時間が終わりそうでなく、漠然としてい
るだろうが患者と家族みんなが良くなるという気持ち
を持って一緒に治療に臨むと症状管理を通じて日常へ
戻る日が来るということを必ず信じなければならな
い。肯定的な態度を維持し、小さな成功も激励し、長
期的な関心を持って待ってあげよう。

3. 私の気持ちを世話する方法

私が愛する人が精神的な困難を経験している時、わあ
たしたち自分の気持ちも一緒に世話をすることは
ひょっとすると一番重要だ。下記のいくつかの方法だ
けでもこころの健康を守ることに役立つので、必ず覚
え て実行してみよう。

1.自分自身を認めて愛してあげることが必要だ。自分
の感情を正直に認めて必要な場合は専門家の助けを受
けることも方法だ。ストレスを受けたときは自分自身
のために時間を持ち、趣味活動や運動を通じて硬直し
ている緊張を解けることに役立つ。
2. 近い家族や友達との交流を維持しよう。会話は感
情的な支持を提供するだけではなく、他の視覚を持つ
ことが出来る重要な要素だ。似た経験のある人がいた
ら、情報を共有して慰めを受けることで否定的な感情
を貯めないことを予防することが出来る。
3. 患者が持っている疾患に対する教育を受けてみる
ことも良い。疾患に対してもっと多くのことを知ると
患者の行動を理解して、適切に対応することに役立つ
ため不必要な誤解と争いを減らすことが出来る。

25、我对精神病患者

「自分の感情を理解して
多くの人が行動するメンタルの使い方だ。」

1. 人々の視線

精神的な疾患を持っている人たちに対する社会的な視線は様々だ。以前に比べてメディアやいくつかの媒体で精神疾患についてオープンする現象が多くなり、認識に変化されていることは事実だが今もなおある誤解と偏見はどうすることもできない。私でさえも自分が経験したことのない疾患については無知であるため全く共感できないだけではなく一方ではある先入観が囚われているかもしれないからだ。

特に社会では精神疾患ついてその困難を見過ごしたり過小評価する傾向がある。誰かはメンタルが弱いと考えたり、何か問題のある人とレッテルを貼って見つめたりもする。このような視線のせいで学校や職場、家族たちまで自身がつらいという事実を明らかにできず仮面を使って生きている人たちが多い。

私もまた病院に入院する前は多くの時間を何度も悩んだ。「精神病院に入院したことがある人」になるという自体だけでもとても問題がある人のように思われそうなためだ。だが、そのような視線よりも重要なことはこれからよりよい人生を生きていくための勇気を出

すため、自分の足で精神病院へ入ることになった。

振り返ってみると私の人生で数えれるほどのいい選択
だったと考える。症状もかなり良くなり、その後は確
実によい暮らしをしているためである。
誰かがすでにどんな治療でも良くならない状況で精神
病棟へ入院だけは避けたいと迷っているならば勇気を
出して前に自分の暮らしを肯定的に描いていくことに
集中しようと言ってあげたい。

「人々は他人の話をすることは好きだが、逆に
私が思っているほど人は他人に興味はない。」

2. 加害者と被害者そのどこか

精神疾患を持った患者たちの暮らしは単純に病を患っていること以上の意味を持つ。疾患の症状によって誤解と偏見の対象になることもあり、時には加害者が、時には被害者が存在する複雑な現実の中で絡み合っている。

私が精神病棟へ入院した時に会った患者の中で多くの人たちは自分の行動で家族や誰かを傷つけたと言い、自身の病が他人へ及ぼす影響についていつも罪悪感を持っていた。 だが病のきっかけはほとんど家庭内暴力と学校や軍隊等のある集団での虐待そして欠乏によって精神的問題を経験する場合がかなり多かった。矛盾的にも精神疾患を持った患者は誰かへ加害者となり、また被害者となる複合的な存在という事実だ。

加害者という「罪悪感」
被害者という「自己憐憫」

ここに埋もれないでおこう。全ての人は加害者と被害者そのどこかに存在するしかないという事実を受け入れよう。

3. 認識の変化

入院した当時、いろいろな人たちの話を聞き、各自自身だけの固有の背景と経験を持っており。私が考える以上の様々な暮らしがあるという視野を持つようになった。

過去に比べて精神疾患を持った人たちに対する認識がどんどんもっと開放的で肯定的な方向へ変化しているのは確かだ。様々なメディアとキャンペーン等を通じて精神疾患が自然に露出され、知識と理解度が高くなったためだ。

だからか、約10年前に比べて最近の精神科には人が多くいる。 人々はもう単純に「おかしくなった人」又は「変な人」と問題にして非難をしない。.

以前に比べて脳の疾患、ホルモンの影響、ある辛い環境による一つの健康問題として考える人が増えてきている。

だが、今もなお多くの課題が存在する。精神疾患を持った人へ取り巻く偏見を無くして、自身の疾患を隠

さずに堂々と治療を受けることが出来る環境を作るためにより多くの努力を行わなければならない。

患者たちはただ単に病気を持った人であるだけだ。

　「彼らの価値や人間として尊厳性が傷ついてはいけない」"

4. 何のために生きるのか

生きていると人生の中で方向を失う時間が来たりもする。特に自分がそのどこにも所属していないと感じるとき、自分を無価値と思いがちだ。病院で出会った人たちの他にも多くの人が所属感の欠如によって自分の存在価値を無くしたと感じたり、それによって自信感が落ち、自分を感情の深い場所へ引きずる場合が少なからず見ることができる。

誰かが言った。「私はどこにも属していないみたいです。私が誰なのか、何で生きないといけないのかもよく分かりません。」この言葉は多くの人たちの気持ちを代弁しているみたいだった。

人は誰かへ認められ、必要な存在だと感じるときそれなりに自分の価値を実感したりする。

ただ、聞こえのいい言葉だと思うかもしれないが所属感というものは「自分が自分 ' へ最初に所属」した時、他人に認められたり、どんなことにも振り回されないこともある。

何かをするために私が存在する価値があるのではなく、存在だけでもすでに十分だと自分に言ってあげよう。また他人と比較して落ち込んでいる時間にじっと自分の内面を覗いてみる時間を持ってみるといつの間にか考えは他人ではなく私へと向かう。

「何のために生きるのか」という質問を投げ捨てて私が何を好きで何を嫌いなのか自分についてまず洞察してみよう。

精神病棟で出会った人たちは各自特別さと固有の内面世界を持っていた。少しは変わって見えてもまぁ、良いじゃん?それが私なのに!

「私から私のことを理解して、認めて慰めてみよう!」

5. 傷と欠乏の悪循環

全ての人間は傷と欠乏を持っている。ところが傷と欠乏は悪いことばかりなのか?そうではない。

多くの人たちが自分が傷ついたと、また他の他人をつくだけに観点を変えて他の視覚で傷を見つめる人は自分の傷で誰かを慰めたり治癒することに使ったりもする。

同じ傷と欠乏があってもどうやって受け入れるかによって全く違う結果に繋がる。

傷つくと苦しく、痛い。
欠乏があるとまた違う何かで満たそうと返って虚しさだけを育てたりする。

傷と欠乏を見つめる視覚を広げて、むしろ私を成長させる武器として使用してみよう。

もちろん、簡単ではない過程を経ないといけないが一生切ることも出来ずもがいて井戸の中の蛙で生きていくには人生がとてももったいなくないだろうか?

偉そうに話している私も相変わらずもがいている途中であるが、それにもかかわらず私の傷が誰かには慰めとなり、勇気となると信じている。私の欠乏が何なのか全面でぶつかってしっかりと見つめて理解すると他人を傷つけずに繰り返さないだろう。

「悪循環の輪を断ち切れるように
避けないで全面で突破しよう」

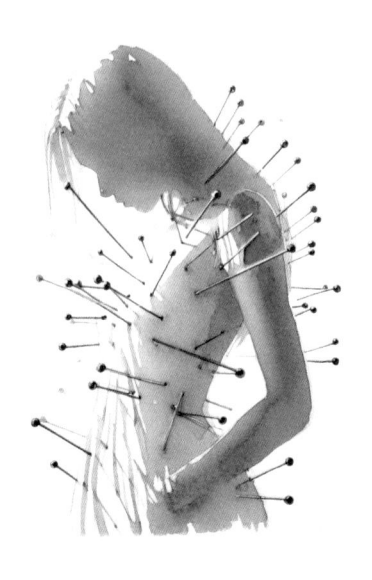

退院後、すでに2年が過ぎた。精神病棟の窓辺で見つめていたかすかな日差しは今では私の部屋の窓辺を明るくさせる。病棟での時間は私にとって人生で新しい意味を与えた。病との戦いは依然とあるが、今はこれ以上病で私を定めたりしない。毎日朝と夕方、少量の薬を飲みこんでただ、健康食品を飲むかのように日常の一部となり如何なる大きな意味を持たなかった。

パニック障害の波が時々私を襲う時ごとに私は一歩下がって見つめてみる。恐怖と不安は相変わらず私の魂の一部だが、今はそれらを理解し、少しずつ調節することが出来る。薬はただの道具であるだけで本当の治癒は私の中で始まる。

私はこの話が誰かへ慰めになれるよう期待している。この本の主人公は私自身でも私たちの隣人でもある。

私はまだ完全に回復していない。今でも道のりは遠く、時にはまたつまずくかもしれない。でも大丈夫だ。

もう一度起きて、一歩 一歩始めるといいから!

私へ還る

長い時間の間私は私自身を大切に思うことはできなかった。「自分を愛せ」という言葉は数多く聞いたが、その具体的な方法をすることはできなかった。私の感情を抑えて、私の体をむやみに接するのが日常になっていた。こんな行動は私をより深い絶望へ導いた。

退院後、私は私自身に本心で誤った。「ごめん、私のこと雑に扱って。」少しは恥ずかしくなるこの言葉を両手で私を抱きしめながら毎日何度も繰り返した。

言葉には力がある。小さな変化かもしれないがその後から私は私の感情と体を大切にし始めた。

自分を愛する方法は決して単純ではない。それは自分自身を深く理解し、許す過程から始まる。
私達は完璧ではなく、時には間違った選択をしてしまう。
だが、それが私たちの価値を減らすことではない。

今では私は私の感情をこれ以上押さえない。悲しみと嬉しさ、怒りと愛、全ての感情を正直に表現しようと努力する。健康を守って、適切な休息と運動を通じて

体を気遣う。

誰でも自分を愛する資格があり、その愛は私たちの内
側で始まるということを覚えておこう。

治癒の道のりは目的地に到達することではなく、
その道を歩く度に自分を
発見する過程だ。

– ハン・サンヒ –